D1029972

Pour l'adorable Maya
Carl

À Christine, ma petite cousine
du bout du monde
Claude

Dans la même série

Les mots doux · L'île aux câlins
Bonjour, mon petit cœur
Un bisou, c'est trop court !
Tu m'aimes ou tu m'aimes pas ?
Mon meilleur ami du monde
Lola, reine des princesses
Joyeux anniversaire, Lola !
Chouette, j'ai grandi !
Boîtes à bonheurs

Loi 49956 du 16 juillet 1949,
sur les publications destinées à la jeunesse.
Dépôt légal : septembre 2018
ISBN 978-2-211-23575-4

Mise en pages : *Architexte*, Bruxelles
Photogravure : *Media Process*, Bruxelles
Imprimé en Italie par *Grafiche AZ*, Vérone

Adorable, c'est tout moi !

Texte de Carl Norac
illustrations de Claude K. Dubois

Pastel
l'école des loisirs

Lola regarde la télé avec sa grand-mère.
La nouvelle émission de jeu s'appelle
Qui sera la plus adorable ?

« Dis Mamie, quand je serai grande, tu crois
que je pourrai gagner ce concours ? »
« C’est sûr, ma chérie ! Adorable, c’est tout toi ! »

Lola veut s'entraîner tout de suite.
Hop, quatre bisous sur les joues de Mamie…
sans toucher les lunettes !

« Ding Ding ! crie Lola. Dans l'émission, chaque fois qu'on est vraiment adorable, on entend ça : Ding Ding ! Au revoir, Super Mamie ! Ding Ding ! »

Le lendemain matin, Lola a décidé d'être la plus adorable…
toute la journée. «Pour le plus beau sourire,
il faut montrer ses petites dents tout le temps ou pas ?»

Lola court dans la cuisine. Quel bruit de vaisselle !
« À table, Ding Ding ! J'ai préparé toute seule
un adoraaable petit déjeuner. »
« Bravo, Lola ! » s'écrient Maman et Papa, surpris.

Théo, le petit frère, arrive en faisant des grimaces.
« Hé, Lola, tu as vu ? Ton doudou nul, j'en ai fait un chapeau ! »

«J’adooore, mon frérot chéri !
Garde-le, ça me fait plaisir ! Ding Ding ! »
«Maman, pourquoi elle est pas fâchée, Lola ? dit Théo. Pourquoi elle répète Ding Ding ? Elle a avalé ton portable ou quoi ? »

À l’école, Lola aide la petite Lily à porter son cartable.
« Ah Lily, au secours, pourquoi c’est si lourd ? »
« J’ai pris toutes les pommes de mon jardin pour l’atelier compote ! »

Juste après, Lola court de nouveau.
Elle veut ouvrir elle-même la porte de la classe à la maîtresse.
Zut ! Elle glisse, la tête en avant ! Paf ! Raté !

Au cours de gym, elle ramasse les balles
quand les autres jouent. C'est dur. C'est loin. C'est long.
« Diiiing... Diiiing », répète Lola, essoufflée.

Puis, à la récréation, elle joue à la star devant le miroir
des toilettes. «Tu veux devenir la plus adorable, comme moi ?
Achète le dentifrice *Super Lola* !»

Sa copine Zoé l'a entendue. «Tu faisais quoi, Lola ?»
«Chut, c'est mon secret ! Je m'entraîne pour gagner
le concours *Qui sera la plus adorable ?*»

Mais Zoé est très bavarde. Cinq minutes après,
tout le monde connaît le secret de Lola. « Hé, voilà
Mademoiselle Ding Ding ! » s’écrient les autres élèves.

À la sortie de l’école, Lola est triste.
Elle ne dit plus rien. Ils peuvent se moquer, les autres.
Elle ne les regardera même pas !

De retour à la maison, Lola n'a toujours pas envie de parler.
Ding Ding, fait le portable de Papa. Ah non, pas ce bruit-là !
Ça me casse mes petites oreilles ! pense Lola.

Maman lui donne un gros bisou.
D’habitude, Lola saute sur ses genoux. Mais là, pas un mot, pas un geste. On dirait qu’elle joue à la statue.

Ah non, revoilà Théo. «Salut Mademoiselle Adorable.
Tu as vu, j'ai toujours ton chapeau doudou !
Et je t'ai pris aussi ton écharpe préférée !

Oh, Lola, tu me prépares mon goûter, c'est sympa !
Après, tu me trouveras des nouvelles piles pour mon jouet ?
Et puis tu rangeras ma chambre aussi !

Maman, Papa, venez voir ! Lola m’a collé
une tartine au beurre sur le front ! » pleure Théo.

Déjà, Lola a filé. Pour se calmer, elle va chez sa mamie qui habite la maison d'à côté. « Coucou Mamie. Tu peux pas éteindre un peu cette télé ? Je veux un livre, moi. Tu me lis quoi ? »

« D'accord. Attends, je cherche ! répond Mamie.
Alors, que veux-tu comme histoire ? Celle du poussin
qui chante, de la petite sirène, ou celle du terrible loup ? »

« Celle du loup, ma préférée ! dit Lola. Regarde, je vais l'imiter, le grand méchant loup : Je montre mes grandes dents !
Je suis affamée… Miam Miam, une délicieuse Mamie !

Dis Mamie, et si on changeait l'histoire ? Ding Ding ! C'est moi qui raconte. Il était une fois… un loup doux qui disait toujours ça : Adorable, c'est tout moi !»